UIESH

QUELQUE PART

Mémoire d'encrier reconnaît l'aide financière
du Gouvernement du Canada
par l'entremise du Conseil des Arts du Canada,
du Fonds du livre du Canada
et du Gouvernement du Québec
par le Programme de crédit d'impôt pour l'édition
de livres, Gestion Sodec.

Dépôt légal : 3e trimestre 2018

ISBN 978-2-89712-541-7
PS8603.A334U33 2018 C841'.6 C2018-940879-0
PS9603.A334U33 2018

Mise en page : Virginie Turcotte
Couverture : Étienne Bienvenu
Correction de l'innu-aimun : Yvette Mollen

MÉMOIRE D'ENCRIER

1260, rue Bélanger, bur. 201 • Montréal • Québec • H2S 1H9
Tél. : 514 989 1491
info@memoiredencrier.com • www.memoiredencrier.com

Joséphine Bacon

UIESH
QUELQUE PART

MÉMOIRE D'ENCRIER

DE LA MÊME AUTEURE

Un thé dans la toundra · Nipishapui nete mushuat, Mémoire d'encrier, 2013.

Bâtons à message · Tshissinuatshitakana, Montréal, Mémoire d'encrier, 2009.

Nous sommes tous des sauvages (en collaboration avec José Acquelin), Montréal, Mémoire d'encrier, 2011.

PROLOGUE

Aujourd'hui, je suis quelque part dans ma vie.

J'appartiens à la race des aînés. Je veux être poète de tradition orale, parler comme les Anciens, les vrais nomades. Je n'ai pas marché Nutshimit, la terre.

Ils me l'ont racontée. J'ai écouté mes origines. Ils m'ont baptisée d'eau, de lac pur.

Un à un, ils nous quittent. Avec eux, s'en vont les mots de toundra, les courants des rivières et le calme des lacs.

Je me sens héritière de leurs paroles, de leurs récits, de leur nomadisme. Comme eux, j'ai marché la toundra, j'ai honoré le caribou.

Quelque part, une roche sur une grosse roche indique ma présence.

Joséphine Bacon

Je n'ai pas la démarche féline
J'ai le dos des femmes ancêtres
Les jambes arquées
De celles qui ont portagé
De celles qui accouchent
En marchant

Apu tapue utshimashkueupaniuian pemuteiani
Anikashkau nishpishkun miam tshiashishkueu
Nuatshikaten
Miam ishkueu ka pakatat
Miam ishkueu ka peshuat auassa pemuteti

Je vis la grandeur du vent
Je sens sa beauté
Le vent me prend dans ses bras

Il souffle un air mélodieux
Que j'aimerais écrire

Nuapateti eshpitenitakuak nutin
Nuapaten eshpish minuashit
Nitakussinik^{u} nutin

Nikamuitik
Nipa minuenitamuan tutamuk unikamun

Tu sais, petit frère
Personne ne vole
Les éléments sont humains
Une personne d'air
Une personne de feu
Une personne d'eau

Personne ne peut voler
La terre
Qui t'a vu naître

Personne ne peut voler
Ton sourire

Tshitshisseniten nishimish
Apu auen tshimutit ka ishi-takuak
Tshishik^{u}
Ishkuteu
Nipi

Apu auen tshi tshimutit assinu
Anite ka inniuin

Apu auen tshi tshimutit
Ueshinamini

J'ai cent mots à te raconter
Mon vieil âge
Mes rides

Je n'ai plus l'alerte des pas
Le souffle court
J'avance dans mon songe
Sans fatigue

Je sais entendre les feuilles
J'apprends le monde
Mon âge vieillit avec moi

Je n'ai pas cent mots
Je n'ai pas cent ans

Mishau aimun ua minitan
Nitshishenniun
Nushitshikueuna

Anutshish apu tshishkapataian
Ninute-nenen
Nishaputueten nipuamunit

Nipeten nipisha
Nitshishkutamatishun inniun
Nitshisheishkueun nuitsheukun

Apu 100 itaki aimuna manitan
Apu 100 itati-pipuneshian

Banc public
Un soleil timide
Un calepin rose
Une plume grise
Mon chien me regarde

Je rencontre un petit bonheur
Ma vieillesse s'installe
J'ai des mots à transmettre
Des récits d'aînés

Tout tourne
C'est à mon tour

Ka tshinuapekak tetapuakan nitapin unuitamit
Uasheshkupanu
Mitshinanushu nimashinaikan
Uapinushiu nimashinaikanashk[u]

Niminuenimun
Kashikat nitshisheishkueun
Aimuna nipatshitinen
Tshishennuat ka miniht

Nin kuessipan

Je me soûle de mots tendres
Tu ne me remarques pas
Tu vois mon absence dans l'image
Que tu as créée

Derrière mon âme invisible
Tu cherches le lieu
Tu cherches le cœur
Tu entames le chant

Tu entames le chant
Tu entames le chant

Niminuten shatshitun-aimuna
Apu pishkapamin
Tshitshisseniten eka uiapamin
Anite iaitapin

Nitatshakush apu nukushit
Tshinanatuapamau uiesh
Tshinanatuapaten nitei
Tshinikamun

Tshinikumin
Tshinikumin

J'habite un printemps d'hiver
La neige retient sa saison
L'ours, mon grand-père,
Se réveille
L'hiver insiste

Nui shikuanitan
Kun apu ui apashit
Mashku, nimushum apishikushu
Pipun mitshimishkamu

Parc Molson
Une brise caresse les arbres
Au loin bruits de pompiers
On entend l'ambulance

Je ne peux m'empêcher de retourner
Aux bruits que j'aime
La parole des aînés
Les vibrations de la terre

Parc Molson nititan
Matueshtin
Katakushish petakushuat kaiashtueitsheshiht
Akushiutapan petakuan

Apu tshi nishataman tshetshi kau tshissitutaman
Ka minuatamam ka ishi-petaman
Tshishennuat tepatshimutaui
Assi e nenemakak

Je m'enivre
De phrases
De silences
Pour t'écrire

Ma vision est image

Nitshishkuepanitishun
Anite tipatshimunissit
Apu tshekuan petakuak
Uanasse tshimashinaimatin

Tshuapamitin innitsheuanit

Les aurores rouges
Sont jalouses
De l'éclipse qui a fait le tour de toi

Une pensée m'envahit
Vacarme d'un soir de bar
Une mélodie chante mon souvenir
Le passé me rattrape

J'ai oublié comment rêver
Mon cœur a perdu la cadence des raquettes
Je me suis laissée apprivoiser
Je suis au bout de moi

J'écoute tes larmes
Comment te consoler
J'aimerais chasser ta souffrance
T'offrir le sourire d'une étoile

Petapan
Kakuenimeu
Akaushinua ka tshikuanishkashk^{u}

Nimamituneniten
Tatuetakanu anite etaian
Tshitaikanitak nikamun
Utat nakana ninatuapamakun

Nunitshissituten eshi-puamunan
Kashikat nitei uni-tshissitutam^{u} ka tshikashamet
Nitapueten tshetshi utinikuian
Shash nitishpan

Tshipetatin tshiman
Tanite tshetshi uitshitan
Nipa minueniten nikamututaman
Tshikassenitamun
Minitan utshekatak^{u} tshetshi kau ushinamin

Aujourd'hui le printemps s'est mêlé à l'hiver
Tout fond
L'hiver n'a pas dit son dernier mot

Un ancien imite le vent
Il m'a envoûtée
Avec des ailes de perdrix
Puis a disparu

Tu m'amènes dans un sentier
Tu écris dans le vent
J'avance derrière toi
J'observe le crayon qui dessine
Ta liberté

Amassepanu shikuan mak pipun
Apateu
Pipun ui tau

Tshishennu nashpitutueu nutina
Uteshkan-pineua apatshieu
Nasht nitshishkuaik
Ekue eka nukushit nakana

Tshititutein pakatakan-meshkanat
Tshunashinatauau nutin
Tshinashatin
Nitshitapaten mashinaikanashk^u

Unashinataim^u
Tshitipenitamunnu

J'ai vu la naissance de l'hiver
La neige abandonne
Ses fragiles flocons
Dans un monde torturé
Sa finesse éblouit
La terre des nomades

Nuapateti ussi-pipun
Tshiam mishpunipan
Kunissat utshekatakuipanat
Ute umenu assinu ka piuenitakannit
Peikuan minakupan
Tshiashinnua

Je m'emprisonne dans une ville
Privée d'horizon
Je me dirige vers tes yeux
Leur couleur
Déshabille mon âme

Nitshipauitishun utenat
Apu uapataman tshishik[u]
Nitituten anite tshissishikua
Eshi-atishauiateti
Nitatshakush uashtepanu

Je cherche le mot dans le poème

Je t'ai lu

J'invoque
Ta présence

Ninanatuapaten aimuniss
Anite kashekau-aimunit

Nitshitapaten e itashtain

Nitepuen
Tshetshi tain

J'ai vu ta naissance
Tu n'es pas le matin
Tu es le songe
Tu me donnes
L'illusion de la paix

Tshuapamititi ka inniuin
Namaieu tshin tshetshishepaushu
Tshin an puamun
Tshimin
Tshiaminniun

Une nuit d'étoiles nous invite
Elle nous raconte
La Grande Ourse

Les aurores boréales
Dansent les gestes de la terre
C'est la nuit des cicatrices qui pardonnent

Mishta-utshekataku uashku
Tshitipatshimushtakunu
Mishta-utshekatakua
Uashtuashkun nimu assit

Ume tipishkau
Eukuan ka tshitshenanut
Tshikashinamakunan

J'ai besoin de la nuit pour la tristesse
J'ai besoin de la nuit pour t'écrire
J'ai besoin de la vie pour vivre
J'ai besoin du présent pour être
J'ai besoin du passé pour durer
Demain m'ignore

Nitapashtan tipishkau tshetshi kassenitaman
Nitapashtan tipishkau tshetshi mashinaimatan
Nitapashtan tipishkau tshetshi inniuian
Nitapashtan kashikau tshetshi inniuian
Nitapashtan nakana utat tshetshi eka unitshissian
Uapaki apu tshissenitaman

Je ne suis pas demain
Je suis aujourd'hui
Mon cœur retourne
Dans l'espace
Quand tu racontes mon histoire

Je suis la grande lune
Qui traverse le temps
Tourbillon de neige
Je m'affole
Que vive la tradition

Namaieu nin uapan
Nin aum kashikau
Nitei kau tshiuepanu
Tepatshimushtuini nitipatshimun

Nin aum tshukum pishim^{u}
Ka pimipanit
Memenishpun
Tshitshishkuein
Kau natetau tshiashi-inniun

Mon rire meurt
Éclats de silence
La douleur crache
Retour de la conscience
Mon âge s'inquiète du pardon

Nipapun nipimakan
Apu tshekuan petakuak
Akuitishun shashtiku
Kau takuan mitunenitshikan
Eshpitishian nikushpaneniten kashinamatun

J'existe dans les mots que j'écris
Je me bats dans une colère tranquille
Ma douleur ne se raconte pas
Ma bataille succombe

Je vais au bout de la nuit
Pour trouver la meilleure version de moi

M'atteindre
Où je me conte

Tu ignores que j'existe

Je meurs dans un mot

Nititan anite aimuna ka tutaman
Nitshishpeuaushun apu petak nitshishuapunnu
Apu tshi tipatshimunanut ninekatenitamun
Apu shakutaiain

Anite ka akua-tipishkat nitituten
Tshetshi tshissenitaman tanite uetuteian

Tshetshi mishkatishuian
Anite ka tipatshimitishuian

Apu tshissenimin etaian

Aimunit ninipin

Je ne suis pas tonnerre
Je suis mouvement de la Terre

Le tambour me dirige
Vers le sentier
Du grand portage

Namaieu nin nanimissuat
Nin aum assi ka matshit

Teueikan nitituteik
Nuash nete
Mishta-pakatakan

La lune entière
Les étoiles sont là
Les yeux vers le ciel
J'aime croire qu'elles brillent pour moi
Mon ombre s'étend
La neige est lumière

Shakassineu tipishkau-pishim^{u}
Utshekatakuat nukushuat
Ishpimit nitaitapin
Miam nin uashtenamutau
Nitatshakush pimishipaniu
Kun uashtenam^{u}

J'ai souvenir de Shuaushemiss
Grand-père chasseur
Je le revois avec son tambour
Il chante une femme aux cheveux blancs
Son chant pousse à la danse
Shuaushemiss dépose le tambour tendrement
Il me regarde puis éclate de rire
La femme aux cheveux blancs
C'est sa terre de chasse
Couverte de neige
Avec le vent
Elle tourbillonne

Nitshissitutuau Shuaushemiss
Nimushum kanataut
Eshk^{u} kashikanit nuapamau ashit uteueikana
Ishkueua katsheshkaimueu
Kukuminasha
Shuaushemiss minuaneu uteueikana
Nitshitapamik^{u} ekue mishta-ushinak
Kukuminasha ka katsheshkaimuat
Unatau-assi katsheshkaimushapan
E kununiti
E nutiki
Memenishpun

J'ai vu la fille du baobab
Elle est lumière
Le soleil s'éclipse
Son bâton de parole
Partage les mots mystères

Nuapamati ishkuessiss anite mishtikut,
baobab ka inan
Uashteshiu
Akushumu pishim^{u} e uapamati
Takunam^{u} ushashkuteun
Uauitam^{u} matau-aimuna

Le temps devient fou
Poudrerie, tu étourdis la terre
Le soleil a cédé sa place
Nutineteu a repris le fleuve avec sa brume
Je marche l'hiver
Le givre s'installe aux fenêtres
Sa blancheur aveugle
Je ne retrouve pas mes pas
Le vent les a emportés
Dans un seul nuage
Mon foulard aux mille couleurs
Ensoleille le temps
Et fait virevolter les flocons

Tshishkueienitakuan
Piputeshtin tshishkuepanitau assinu
Apu nukushit pishim^{u}
Nutineteu kau natuapatam^{u} shakaikana
Nipimutaik^{u} pipun
Nitshikutina pashpapuakana
Apu tshikanaman eshpish uapishit kun
Apu uapataman anite ka takusseian
Nutin nana uepashtatau
Kashkuannu
Nitapishkatshen mitshet ka ishi-atishauianit
Nitapishkakan
Minu-tshishikau niteit
Ueuepashuat kunissat

Tu n'as pas raconté mon peuple
Tu n'as pas dit notre existence
Tu n'as pas entendu notre voix
Elle chantait une incantation
Dans la peau du tambour
Pour que continue le rêve

Apu ut tipatshimatau nitshinnuat
Apu ut uauitamin nitinniunan
Apu ut natutamin ka itueiat
Ninikamunan
Anite teueikanit
Tshetshi shaputue puamuiat

Parfois la douleur est inspirante
Elle dicte des mots
Pleins de puissance
La vie peine à vivre
Accrochée dans un mal-être

Au bout
La lueur ne s'allume plus

Mishau aimun e nenekatenitakaniti
Shutshishimakana
Animan inniun
E kassenitakaniti

Unashkut
Apu nukuak e uasheiashtet

Tu tournes autour de moi
Toi qui contes ma vie
Dans cet élan, j'essaie d'exister

Ne persiste pas à nier

J'écris
Ma présence

Tshitshinikuanishkun
Tshin ka tipatshimin
Tshituten tshetshi ui taian

Eka anueta

Nimashinatein
Ute e taian

Quelque part
Dans cette ville
Je suis l'humain
Du moment

Je cherche mes traces

Uiesh
Ute utenat
Anutshish
Nin aum innu

Ninanatuapaten anite ka mitameian

Mes grands-pères ont parcouru la terre
Mes grands-mères ont donné naissance à nos mères
Je suis de cette tradition de paroles
Ma terre est bafouée
Par un serpent venimeux
Où coule mon histoire

Nimushumat pimutatamupanat nutshimit
Nukumat uapamaushuipanat nikauinana
Ekuta uetshian
Manenitakanu nitassi
Atshinepik^{u} umatshi-natukunim patshitinam^{u}
Anite ka pimukut tshitipatshimunnu

Rue Bélanger
J'attends l'autobus
Je regarde le bout de la rue
Sans horizon

Je ferme les yeux
Je vois les aînés de la Rivière de l'Ocre
Assis face à la mer
Eux seuls voient
Ce qu'ils regardent

Ninanipaun Bélanger meshkanat
Nitashuapaten netupiss
Nitshitapaten tanite nuash e itamut meshkanau
Apu uapataman tshishik^{u}

Nipashikuapan
Nuapamauat unaman-shipiu-tshishennuat
Ushtishkupishtamuat uinipekunu
Uinuau muk^{u} uapatamuat
Ka tshipatahk

Une vie fatiguée
L'espoir en attente
Je caresse une ride
Pour une autre année
Ma course s'arrête
Et honore le cœur lent

Aieshkushiuimakan inniun
Pakushenitamun ashuapu
Nitatinen nitshishenakushiuna
Peiku-pipuna eshk[u] nui inniun
Ekuta ute e nakauian
Nitishpiteniten nitei

Tu t'accroches à une jupe invisible
Tu doutes de l'existence
Des mots racontent
Ton manque d'amour

Tu es fils d'une terre
Qui t'abandonne

Pour te connaître
Tu t'évades
Une rivière patiente ton retour

Tshimitshimiuan utakupit
Tshimatishueniten inniun
Kashekau-aimuna tipatshimuat
E nutepanin shatshitun

Tshin an nutshimiu-auass
Ka uepinakanit

Tshui nishtuapamakuan
Tshushimun
Shipu tshitashuapamik^{u}

Une autre nuit
J'attends le sommeil
Viendras-tu dans mon rêve
Jouer le tambour
Faire danser ma vie

Kau tipishkau
Nitashuapaten tshetshi nutekushian
Tshika takushin a nipuamunit
Tshetshi petuk tshiteueikan
Nimiani nitinniunit

Tu parles d'étoiles
Je te parle de rivières
Tu parles d'astres
Je te parle de lacs
Tu parles de l'infini
Je te parle de la toundra
Tu parles d'anges
Je te parle d'aurores boréales
Tu parles des cieux
Je te parle de la terre

Utshekatakuat tshuauinauat
Shipua tshuauitamatin
Ka ishi-takuak tshishikut tshuauiten
Shakaikana tshuauitamatin
Eshpitashkamikat tshuauiten
Mushuau-assi tshuauitamatin
Anisheniuat tshuauinauat
Uashtuashkuan tshuauitamatin
Uashku tshuauiten
Nutshimiu tshuauitamatin

Des départs
Où je ne suis pas conviée

J'attends mes rides
Caresse dans le vide

Un récit de toi

Mishta-tshitutenanu
Apu uishamikauian

Natinen nitashtamik[u] apu matenitaman
Nitashuapaten tshetshi tshishenniuian

Nakana anite ka tipatshimimikuin

Tu me donnes un instant
Je réclame un moment
Tes pas se pressent
Je cherche ma canne
Pour te suivre
Ma lenteur me sépare de toi

Tshimin tipaikan
Tshinatuenitamatin tshishiku
Nutinen nishashkauteun
Tshinashatin
Apu tshi tsheshtipititan
Usham ninikatishin

Tu n'es plus silence
Tu es synonyme
Tu es antonyme
Tu sais leur définition
Tu ne regardes pas l'horloge
Les heures passent
Les minutes perdent leurs secondes
Debout
Les Anciens te voient
Tu n'es pas un mirage

Namaieu tshin eka ka petakuak
Tshin an ka peikutat aimunnu
Tshin eka kueshte ka aimit
Tshitshisseniten kassinu tshekuan essishuemakak
Apu tshitapatamin tipaipishimuan
E tshikashteti unitau ka tshishipanishiniti
Tshinanipaun
Tshiashinnuat tshuapamikuat
Namaieu tshin atshakush

Les larmes de ma vie
S'incrustent à cette pluie
Annoncée

Nimaunapuia
Apu ashte-utshikuniti
Anite tshe tshimuak

J'ai tant de plis sur mon visage
Chacune de mes rides
A vécu ma vie
Aujourd'hui je suis la femme digne
Qui raconte

Nushitshikuen anumat
Nukuan nitinniun nitashtamikut
Nukuan ka ishinniuian
Kashikat nikukuminashiun
Nitipatshimun

J'ai découpé mes souvenirs
Et les ai collés sur mon corps

Un lac calme
Reflète mon image
Je suis Innue dans mes veines
Je suis Innue dans mon cœur rouge

Mon ombre se confond à mon âme
Ma vie vieillit au son du tambour
Qui rejoint mes rêves

Nunishen nitshissitutamuna
Nitakussutan niat

Minupeiashu shakaikan
Nuapamitishun
Nin aum innushkueu nuash nimukuiapit
Nin aum innushkueu anite niteit

Nitatshakush unipanu nanikutini
Nitinniun tshishenniumakan e petuki teueikan
Anite nipuamunit

Univers, tu m'offres
Une lune toute ronde

On me reçoit
Avec un air déjà entendu
Une main me tend un scotch
J'attends qu'on écoute le poème

Kassinu tshekuan e inniuimakak tshimin
Tipishkau-pishim^{u} e uauieshit

Nuishamikaun anite e tauapekaitshenanut
Shash nitshi petenashapan
Nititinamakaun kashutshishimakak
Nitashuapaten kashekau-aimun

Ne me tue pas d'être vivante
Ne me tue pas de sourire
Ne me tue pas d'aimer
Ne me tue pas d'être humaine

Tue-moi
Si j'oublie

Eka ui nipai usham nitinniun
Eka ui nipai usham nushinen
Eka ui nipai usham ut shatshitun
Eka ui nipai usham innu aum nin

Nipaii
Uni-tshissitutamani

Je n'en veux pas à la vie
De vieillir
Je ne connais pas
L'heure de mon départ
Il y a des matins
J'ai la nostalgie des rêves
Que je n'ai pas rêvés

Apu tshishuapian usham e tshishenniuian
Apu tshishuapishtaman inniun
Apu tshissenitaman tshe ishpish nakataman assi
Takuan nanikutini
Nuimueshtateniten nana
Nipa ishi-puamuti

Poing en l'air
Guerrière aux larmes
Sans vacarme
Je suis territoire
Tu m'as construite
Je suis souvenance
Tu poursuis mon enseignement

Nupinen nititshi
Nin natupanu ka kashimut
Apu petakuaki nimaunapuia
Nin aum natau-assi
Tshitututi
Nin aum tshissitutamun

Où sont passés les neuf mois d'hiver
De mon enfance

Ce soir je suis seule

Je n'écris pas demain
J'écris aujourd'hui

Tu es là
Avec la pluie

Tanite nakanat pipun-pishimuat
Ka auassiuian

Uetakussit nipeikussin

Apu mashinaitsheian uapaki
Kashikat nimashinaitshen

Tshimuan unuitimit
Ute tshititan

Je suis triste
Mon amie me quitte
La haine est facile avec les départs
Besoin de courage avec ma douleur
Je dois vivre ton absence
Mes yeux libèrent des larmes
Même la pluie n'a pas autant pleuré

Nuitsheuakan nipu
Nikasseniten
Nitshishuapin
Ishinakuan tshetshi shutshiteieian
Tshetshi eka akuikuian
Ishinakuan tshetshi shaputue inniuian
Eka tati
Unuitshikuna nissishikua
Auat tshemuaki
Apu ishpishipeiat

La neige se moque de toi
La neige se moque de moi
Lac Simon tremble ma vie
Des visons troublent le futur
Ma colère se fait silence

Kun tshuaushinak[u]
Kun nuaushinak[u]
Lac Simon
Nimateniten niat
Nuapaten nikan
Nitshishuapun apu petakuak

Nos pas ont laissé leurs traces
Nous appartenons à une rivière
Tu enfouis en nous
Un serpent de fer

Un feu noie nos lamentations

Mishue nimitametan
Shipit nutshinan
Atshinepik[u] ka itenitakuak
Tshitshitapekamutan

Ishkuteu neshtaputau e mamatueiat

Nous sommes seules sur la route 138
Un soleil rouge nuit
Pour lumière

Nipeikupatashinan mishta-meshkanat 138
Mikuashtueu tipishkau-pishim[u]
Uin nuashtenamakunan

Je suis femme
Mère
Sœur
Amie
Amoureuse

Cela me suffit

Nin nitishkueun
Nin nukaumaun
Nin nushimimaun
Nin numishimaun
Nin nuitsheuakanimaun
Nin nuitimushikaun

Apu anu natuenitaman

Fin décembre
Je suis dehors
Un son que je reconnais
Mon regard se tourne vers le ciel

Une volée d'outardes
Heureuse, je suis gâtée
Une autre volée d'outardes
Je suis envahie de tristesse
Les nuits sont longues
Une tempête s'annonce
Mon inquiétude

Le climat trompe le temps

Ishkuaiet pishimuss
Unuitimit nititan
Tshek nipeten mush ka petaman
Auenitshenat anat, nishkat piminauat
Niminueniten tapue uiapamakau
Miam atamishkakauian

Min kutakat nuapamauat pemipaniht
Nikasseniten
Minekash kashti-tipishkau
Uitakanu tshe tshishkueienitakuak
Mishau nikushpanenitamun

Nitau uieshitshemakan eshi-tshishikat

Grand-mère outarde
Tu me regardes
Je te regarde
Tu es perdue
Pareille à moi
Quand je suis dans la ville
Je n'entends plus la rivière

Nishk tshin nukum
Tshitshitapamin
Tshitshitapamatin
Tshunishin
Miam nin
Utenat e taiani
Apu petaman shipu e pimikut

J'ai des mots
Simples à offrir
Dans le poème
Que tu racontes

Nikanueniten aimunissa
Tshui minitin
Tshe tipatshimuin
Anite kashekau-aimunit

L'insomnie
Murmure
Pour retenir
La nuit
Je m'imagine
Vivante
Le moment
Le plus dur
Est souvent
La vie

Ninipepin
Metikat aimitak
Mitshiminam^{u} e tipishkanit
Nipa minuenitenashapan minuenimuian
Nimateniten e inniuian
Muk^{u} anite anu ianimak
Ekuta shuk shuk
Anite inniunit

Revoir la lumière
De l’automne

Je n’ai aucun secret
À garder
Au crépuscule de ma vie

Accorde-moi
Une autre saison

Nipa minueniten
Kau uapataman uashtessiu

Apu tshekuan kataian
Anutshish e tshisheishkueuian

Kau mini
Kutak pipun

Tu acceptes des mots
Au-delà des phrases
Tu prends ton sujet
Pour un complément

Que ta parole soit
Ton poème

Tshutinen aimunissa
Anite e shaputuepanit aimun
Tshikanueniten e uinikauin
Tshetshi minu-tshishtapaniti

Tshima tshitaimun
Kashekau-aimit

Quelque part
Dans le Nutshimit
Je suis chez moi
Sans adresse réelle
Ma rue s'appelle chemin de portage
Demain je remonterai la rivière
Retrouver mes bâtons à message
Quelque part
Dans le Nutshimit
Quelque part
La grandeur
De la Terre

Uiesh
Nutshimit
Nitshinat nititan
Apu atshitashunashtet
Anite epian
Nimeshkanam Pakatakan ishinikateu
Uapaki nika akutueshtinuain
Nika natain nitshissinuatshitakana
Uiesh
Nutshimit
Uiesh
Eshpitashkamikat
Assi

DANS LA COLLECTION POÉSIE

Davertige, *Anthologie secrète*

Hédi Bouraoui, *Struga* suivi de *Margelle d'un festival*

Georges Castera, Lyonel Trouillot et *al.*, *Anthologie de la littérature haïtienne. Un siècle de poésie. 1901-2001.*

Anthony Lespès, *Les clefs de la lumière*

Léon Laleau, *Musique nègre*

Laure Morali, *La terre cet animal*

Yanick Jean, *La fidélité non plus*

Jacques Roumain, *Bois d'ébène* suivi de *Madrid*

Roussan Camille, *Assaut à la nuit*

Alain Mabanckou, *Tant que les arbres s'enracineront dans la terre* précédé de *Lettre ouverte à ceux qui tuent la poésie*

Raymond Chassagne, *Carnet de bord*

Franz Benjamin, *Dits d'errance*

Joubert Satyre, *Coup de poing au soleil*

Khireddine Mourad, *Chant à l'Indien*

Rodney Saint-Éloi, *J'ai un arbre dans ma pirogue*

Roger Dorsinville, *Pour célébrer la terre* suivi de *Poétique de l'exil*

Carl Brouard, *Anthologie secrète*

Louis-Philippe Dalembert, *Poème pour accompagner l'absence*

Willems Édouard, *Plaies intérimaires*

Serge Lamothe, *Tu n'as que ce sang*

Gary Klang, *Il est grand temps de rallumer les étoiles*
Valérie Thibault, *La déroutée*
Georges Castera, *Bow !*
Anthony Phelps, *Mon pays que voici*
Gérald Bloncourt, *Dialogue au bout des vagues*
Frankétienne, *Anthologie secrète*
Mona Latif-Ghattas, *Les chants modernes au bien-aimé*
Ida Faubert, *Anthologie secrète*
Roger Toumson, *Estuaires*
Ernest Pépin, *Dit de la roche gravée*
Max Jeanne, *Phare à palabres. Poéreportage*
Marie-Célie Agnant, *Et puis parfois quelquefois...*
Joséphine Bacon, *Bâtons à message · Tshissinuatshitakana*
Gary Klang, *Toute terre est prison*
Makenzy Orcel, *À l'aube des traversées et autres poèmes*
Louis-Michel Lemonde, *Tombeau de Pauline Julien*
Franz Benjamin, *Vingt-quatre heures dans la vie d'une nuit*
Louis-Karl Picard-Sioui, *Au pied de mon orgueil*
Ouanessa Younsi, *Prendre langue*
Rodney Saint-Éloi, *Récitatif au pays des ombres*
Michel X Côté, *La cafétéria du Pentagone*
Georges Castera, *Les cinq lettres*
Gary Klang, *Ex-île*
Georges Castera, *Gout pa gout*
Raymond Chassagne, *Éloge du paladin*

Violaine Forest, *Magnificat*
Natasha Kanapé Fontaine, *N'entre pas dans mon âme avec tes chaussures*
Magloire Saint-Aude, *Anthologie secrète*
Jean Désy, *Chez les ours*
James Noël, *Le pyromane adolescent*
Hyam Yared, *Esthétique de la prédation*
Kamau Brathwaite (trad. Christine Pagnoulle), *RêvHaïti*
Rodney Saint-Éloi, *Jacques Roche, je t'écris cette lettre*
Sébastien Doubinsky, *Pakèt Kongo*
Joséphine Bacon, *Un thé dans la toundra · Nipishapui nete mushuat*
Abdourahman A. Waberi, *Les nomades, mes frères, vont boire à la grande ourse*
Louis-Karl Picard-Sioui, *Les grandes absences*
Ouanessa Younsi, *Emprunter aux oiseaux*
Natasha Kanapé Fontaine, *Manifeste Assi*
Jean Morisset, *Chant pour Haïti, Poèmes en transhumance demandant grâce pour leur existence*
Laure Morali, *Orange sanguine*
Jackie Kay (trad. Caroline Ziane), *Carnets d'adoption*
Jean-Claude Charles, *Négociations*
Jean Sioui, *Mon couteau croche*
Samian, *La plume d'aigle*
Jean Désy et Normand Génois, *Bras-du-Nord*

Rodney Saint-Éloi, *Je suis la fille du baobab brûlé*
Hyam Yared, *Naître si mourir*
Julien Delmaire, *Rose-Pirogue*
Isabelle Duval · Ouanessa Younsi (dir.), *Femmes rapaillées*
Natasha Kanapé Fontaine, *Bleuets et abricots*
Alain Mabanckou, *Congo*
Pierre Emmanuel, *Poèmes de la Résistance*
Rita Joe, *Nous sommes les rêveurs*
Serge Lamothe, *Ma terre est un fond d'océan*
Flavia Garcia, *Partir ou mourir un peu plus loin*
Chloé LaDuchesse, *Furies*
Katherena Vermette (trad. Hélène Lépine), *Ballades d'amour du North End*
Marc Alexandre Oho Bambe, *De terre, de mer, d'amour et de feu*
Virginia Pésémapéo Bordeleau, *De rouge et de blanc*
Makenzy Orcel, *Le chant des collines*
Jean Désy, *Chorbacks*
Ocean Vuong (trad. Marc Charron), *Ciel de nuit blessé par balles*
Elkahna Talbi, *Moi, figuier sous la neige*
Seymour Mayne (trad. Caroline Lavoie), *Chant de Moïse*
Natasha Kanapé Fontaine, *Nanimissuat · Île-tonnerre*
Emmelie Prophète, *Des marges à remplir et autres poèmes*

L'OUVRAGE *UIESH • QUELQUE PART*
DE JOSÉPHINE BACON
EST COMPOSÉ EN ARNO PRO CORPS 11,5/13.

IL EST IMPRIMÉ SUR DU PAPIER ENVIRO
CONTENANT 100 %
DE FIBRES RECYCLÉES POSTCONSOMMATION,
TRAITÉ SANS CHLORE, ACCRÉDITÉ ÉCO-LOGO
ET FAIT À PARTIR DE BIOGAZ
EN JUIN 2019
AU QUÉBEC (CANADA)
PAR IMPRIMERIE GAUVIN
POUR LE COMPTE DES ÉDITIONS MÉMOIRE D'ENCRIER INC.